L'ITALIANO GIOCANDO

GIOCANDO

VOLUME

2

EUROPEAN LANGUAGE INSTITUTE

© 1994 **ELI** s.r.l. - **European Language Institute**
Casella Postale 6 - Recanati - Italia
Tel. +39/071/750701 - Fax +39/071/977851 - E-mail: eli@fastnet.it

Stampato in Italia - Tecnostampa Loreto

ISBN - **88 - 85148 -98 - 0**

Dopo il successo de **L'Italiano Giocando** volume primo, la ELI propone il secondo volume: una pubblicazione studiata appositamente per i ragazzi che si trovano ad un livello elementare di conoscenza della lingua italiana.

La scelta metodologica alla base del volume è fondata sull'utilizzo di immagini per trasmettere le informazioni lessicali e sul gioco come meccanismo di apprendimento spontaneo per i giovani studenti.

Il volume propone 16 temi di sicuro interesse per gli studenti di questo livello.
Ciascun tema presenta alcuni vocaboli inseriti in un percorso naturale di tre giochi diversi.
L'impostazione è rigorosamente operativa: partendo dal disegno, il ragazzo viene coinvolto nel gioco attraverso interventi di abbinamento, riscrittura ed estrapolazione delle parole, che conducono alla memorizzazione spontanea del lessico presentato.
Grazie alla sua semplicità, **L'Italiano Giocando** rappresenta un utile sussidio linguistico sia a scuola durante le lezioni, sia come momento di verifica a casa. Il suo utilizzo è consigliato anche nel corso delle vacanze scolastiche.

After the success of **L'Italiano Giocando** volume 1, ELI has published volume 2. This publication is particularly suitable for students who are studying English at an elementary level.

As is appropriate for this level, images and games are used to convey meaning, and they are presented in such a way as to ensure that learning is spontaneous and enjoyable.

The booklet introduces 16 topics that will be of interest to students at this level.
Each topic introduces words that reappear in three different games.
The games aim to involve the student as much as possible. The activities include matching, rewriting and working out words. This leads to the progressive memorization of the vocabulary introduced.

Due to its simplicity, **L'Italiano Giocando** is a useful language aid both at school and at home. It is also recommended for the summer holidays.

Après le succès du premier volume de **L'Italiano Giocando**, ELI présente ce second volume, spécialement conçu pour des élèves qui ont déjà une connaissance élémentaire de la langue française.
L'approche méthodologique qui est à la base du volume se fait par l'utilisation d'images pour l'apport d'informations lexicales et par le jeu comme instrument favorable à un apprentissage immédiat et dynamique.

Ce volume propose 16 thèmes choisis parmi les plus intéressants pour les jeunes de cette tranche d'âge.

Chacun de ces thèmes présente des mots qui sont repris en une série progressive de 3 jeux différents. La progression est rigoureusement finalisée: à partir du dessin, l'élève est stimulé vers des jeux d'association, de réécriture et de développement des mots. Ces jeux favorisent une mémorisation immédiate de la part de l'élève.
Par sa simplicité, **L'Italiano Giocando** est un outil pédagogique très utile, tant à l'école qu'à la maison.
Son utilisation est conseillée également pendant les vacances scolaires.

Nach dem Erfolg von **L'Italiano Giocando**, Band 1, stellt ELI jetzt den 2. Band vor: Auch dieses Buch wurde speziell für jugendliche Schüler entwickelt, die sich am Anfang des Studiums der deutschen Sprache befinden.

Die Methodologie dieses Buches gründet daher auf dem Gebrauch von Bildern zur Übermittlung der lexikalischen Informationen. Auch die vorgestellten Spiele sind als spontaner Lernmechanismus besonders für jugendliche Schüler geeignet.

Der Band enthält 16 Themen, die dieser Altersgruppe und dem Sprachniveau der Schüler angepasst sind.
Jedes Thema stellt einige in drei verschiedene Spiele eingebaute Vokabeln vor.
Der Verlauf des Spiels ist operativ, d.h. der Schüler wird durch die Zeichnung direkt mit in das Spiel einbezogen und soll Wörter kombinieren, umschreiben und bestimmen, die sich dann auf spontane und natürliche Weise einprägen. Dank

ihrer einfachen Durchführbarkeit sind die in diesem Band vorgestellten Spiele ein nützliches Lehrmittel sowohl für den Unterricht als auch für die Hausaufgaben, das nicht zuletzt auch während der Schulferien benutzt werden kann.

Después del éxito del primer volumen de **L'Italiano Giocando** la editorial ELI presenta ahora el segundo: una publicación que ha sido estudiada expresamente pensando en los chicos que acaban de empezar a estudiar español.
Por esta razón, el criterio metodológico de este volumen se basa en el uso de las imágenes, como método más inmediato para la transmisión del nuevo léxico, y del juego, como mecanis-mo más espontáneo para el aprendizaje y la memorización de las nuevas palabras.
Este segundo volumen presenta 16 temas escogidos intencionadamente por el interés que suelen despertar entre los estudiantes de estas edades.
Cada tema consta de una serie de palabras que reaparecerán sistemáticamente a lo largo de tres juegos diferentes, cuya estructura induce inevitablemente a la participación activa: a partir del dibujo, el alumno encontrará una serie de juegos de relación, escritura y extrapolación de palabras cuyo objetivo no es otro que el de facilitar la memorización espontánea del léxico que se le acaba de presentar.

Gracias a su simplicidad **L'Italiano Giocando** constituye una ayuda muy eficaz no sólo en el colegio durante las lecciones, sino también en casa como ejercicio de repaso. Desde este punto de vista, es muy aconsejable su uso durante las vacaciones.

I NUMERI

undici

dodici

tredici

quattordici

quindici

sedici

diciassette

diciotto

diciannove

venti

ABBINA

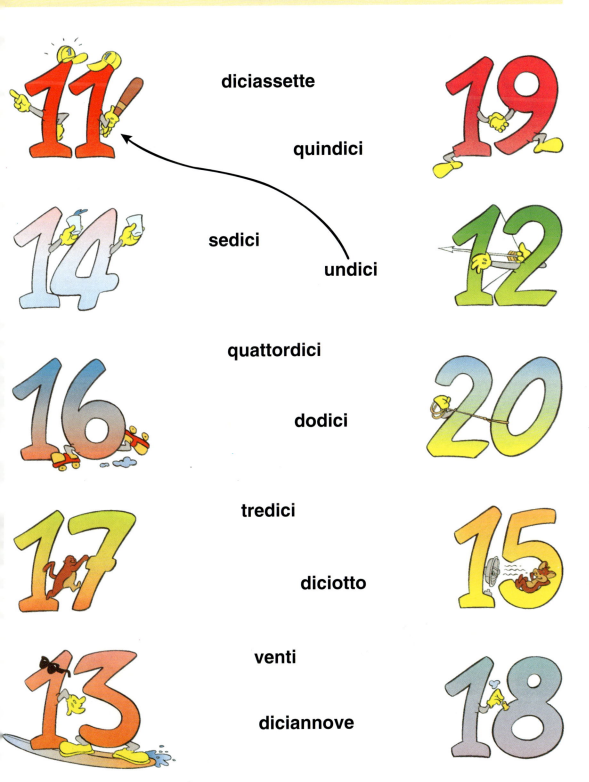

diciassette

quindici

sedici

undici

quattordici

dodici

tredici

diciotto

venti

diciannove

INCROCIA

CERCA

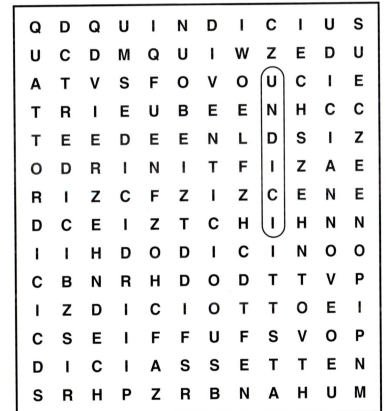

Q	D	Q	U	I	N	D	I	C	I	U	S
U	C	D	M	Q	U	I	W	Z	E	D	U
A	T	V	S	F	O	V	O	U	C	I	E
T	R	I	E	U	B	E	E	N	H	C	C
T	E	E	D	E	E	N	L	D	S	I	Z
O	D	R	I	N	I	T	F	I	Z	A	E
R	I	Z	C	F	Z	I	Z	C	E	N	E
D	C	E	I	Z	T	C	H	I	H	N	N
I	I	H	D	O	D	I	C	I	N	O	O
C	B	N	R	H	D	O	D	T	T	V	P
I	Z	D	I	C	I	O	T	T	O	E	I
C	S	E	I	F	F	U	F	S	V	O	P
D	I	C	I	A	S	S	E	T	T	E	N
S	R	H	P	Z	R	B	N	A	H	U	M

LA FAMIGLIA di Carletto

il padre

la madre

il fratello

la sorella

il nonno

la nonna

lo zio

la zia

il cugino

ABBINA

il fratello

la zia

il padre

la madre

il nonno

lo zio

la nonna

il cugino

la sorella

INCROCIA

CERCA

 ☐

 ☐

 ☐

 ☐

 ☐

D	P	R	M	U	Q	T	F	G	H	I	S
S	A	C	U	M	D	F	R	E	A	T	D
H	D	Q	V	A	I	D	A	A	Z	I	O
C	R	Z	C	D	O	N	T	K	I	D	Q
I	E	A	D	R	O	W	E	L	M	O	R
O	T	D	C	E	T	A	L	T	G	S	A
I	H	O	E	C	V	E	L	A	Z	I	A
N	D	I	S	Z	G	O	O	T	F	E	D
S	O	R	E	L	L	A	G	C	E	M	Z
S	E	B	E	C	A	I	T	R	R	U	L
N	O	N	N	O	Q	O	U	Z	I	T	R
I	H	V	G	E	A	N	O	N	N	A	E
F	G	Z	O	P	S	M	U	T	Z	E	Q
C	C	U	G	I	N	O	T	N	I	L	M

 ☐

 ☐

 ☐

 ☐

GLI OGGETTI DELLA CASA

il letto

l'armadio

la poltrona

il divano

il tavolo

la sedia

il televisore

il telefono

il lampadario

il quadro

ABBINA

la poltrona

il lampadario

il tavolo

il letto

il televisore

l'armadio

la sedia

il divano

il quadro

il telefono

CERCA

 □

 □

 □

 □

 □

A	B	T	E	L	E	F	O	N	O	T	R
R	F	E	R	C	S	R	U	N	B	A	T
M	A	P	F	S	E	D	I	A	D	T	E
A	T	O	S	U	H	O	F	P	L	A	L
D	U	L	I	T	A	V	O	L	O	T	E
I	Y	T	E	P	T	I	S	C	H	D	V
O	T	R	S	Q	U	A	D	R	O	I	I
S	G	O	F	E	H	U	A	E	R	V	S
I	L	N	G	L	E	S	I	R	O	A	O
Z	L	A	R	T	E	T	E	Z	O	N	R
R	O	Q	L	E	T	T	O	Q	I	O	E
H	T	O	N	Z	E	G	H	R	U	N	U
L	A	M	P	A	D	A	R	I	O	S	N
O	E	T	C	U	B	Z	I	A	N	I	T

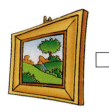 □

 □

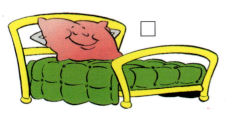 □

 □

 □

GLI OGGETTI DELLA CUCINA

il piatto

il bicchiere

la bottiglia

la caraffa

la tazza

la ciotola

la forchetta

il coltello

il cucchiaio

il cucchiaino

ABBINA

la bottiglia

il piatto

il coltello

la ciotola

il cucchiaino

la caraffa

la forchetta

il cucchiaio

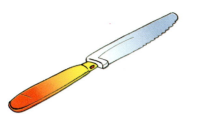

la tazza

il bicchiere

D	P	E	B	I	C	C	H	I	E	R	E
I	I	T	E	L	M	E	A	C	T	D	U
P	A	F	B	O	T	T	I	G	L	I	A
C	T	E	O	G	L	H	I	U	F	A	L
U	T	E	C	T	A	Z	Z	A	H	C	C
C	O	E	A	F	U	P	G	S	N	I	O
C	U	L	R	C	A	V	I	O	U	O	L
H	E	O	A	Z	Q	I	H	G	J	T	T
I	Z	E	F	U	R	A	F	S	E	O	E
A	U	F	F	A	L	S	I	I	D	L	L
I	S	F	A	E	U	L	E	N	S	A	L
O	U	E	C	U	H	Z	A	Q	E	T	O
L	F	O	R	C	H	E	T	T	A	R	I
C	U	C	C	H	I	A	I	N	O	T	O

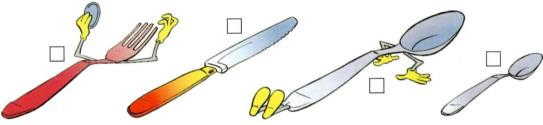

I GIORNI DELLA SETTIMANA

lunedì

martedì

mercoledì

giovedì

venerdì

sabato

domenica

ABBINA

mercoledì

sabato

venerdì

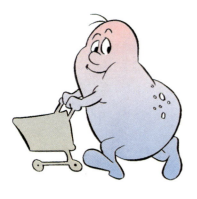 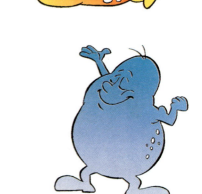

martedì

lunedì

giovedì

domenica

INCROCIA

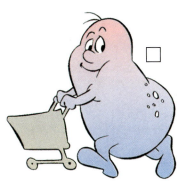

L	F	I	Z	E	I	N	T	O	H	I	A
U	O	M	A	R	T	E	D	I	Y	M	E
N	G	E	G	J	O	I	Z	L	M	E	P
E	H	R	G	I	O	V	E	D	I	R	O
D	A	C	I	L	P	I	R	F	N	C	Q
I	L	L	V	C	L	S	S	E	R	O	M
O	I	K	E	Q	U	A	A	A	E	L	L
T	O	R	N	I	E	B	Q	C	L	E	Z
U	F	A	E	L	E	A	S	R	I	D	M
H	Z	R	R	Y	S	T	L	O	Z	I	Q
B	T	A	D	A	D	O	A	O	M	G	U
Q	O	B	I	S	T	E	R	T	Q	F	O
C	U	A	T	D	O	M	E	N	I	C	A
T	I	F	H	E	Q	T	L	Z	S	U	I

I MESI DELL'ANNO

gennaio   febbraio   marzo

aprile   maggio   giugno

luglio   agosto   settembre

ottobre   novembre   dicembre

ABBINA

marzo

febbraio

gennaio

giugno

maggio

settembre

agosto

ottobre

novembre

luglio

dicembre

aprile

INCROCIA

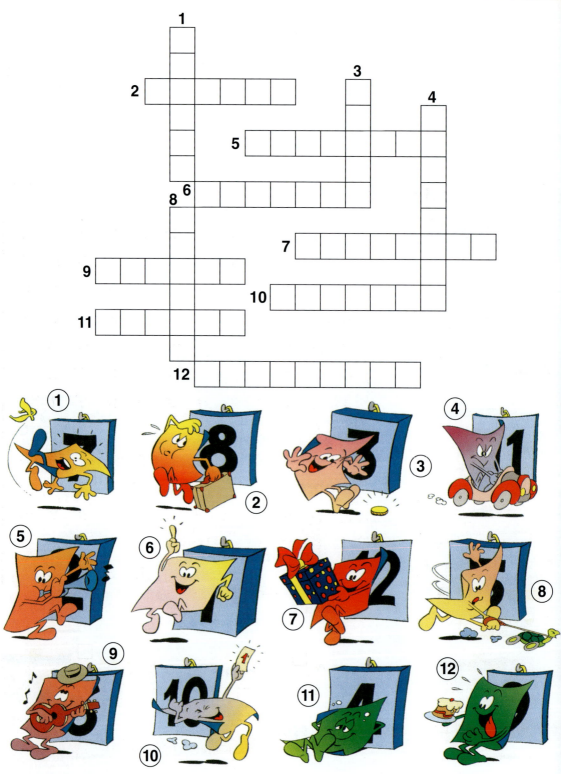

G	E	N	N	A	I	O	U	R	T	I	L
A	H	U	I	L	B	M	A	G	G	I	O
F	E	M	A	R	Z	O	L	J	O	M	E
E	V	D	I	C	E	M	B	R	E	L	C
B	U	A	S	G	I	U	G	N	O	U	Z
B	M	P	Q	O	L	O	R	I	N	G	I
R	N	R	A	A	I	T	A	L	O	L	H
A	E	I	T	G	I	T	E	R	V	I	E
I	L	L	J	O	T	O	A	R	E	O	L
O	E	E	C	S	C	B	E	R	M	D	B
F	Q	T	L	T	E	R	E	M	B	R	A
G	O	F	N	O	Y	E	M	B	R	Y	K
C	E	H	L	E	R	S	B	C	E	E	F
S	E	T	T	E	M	B	R	E	C	U	I

GLI ANIMALI

il panda

il leopardo

la volpe

l'orso polare

il pinguino

lo struzzo

il rinoceronte

il delfino

lo squalo

la balena

ABBINA

il rinoceronte

la volpe

il leopardo

la balena

il delfino

lo squalo

il panda

il pinguino

lo struzzo

l'orso polare

INCROCIA

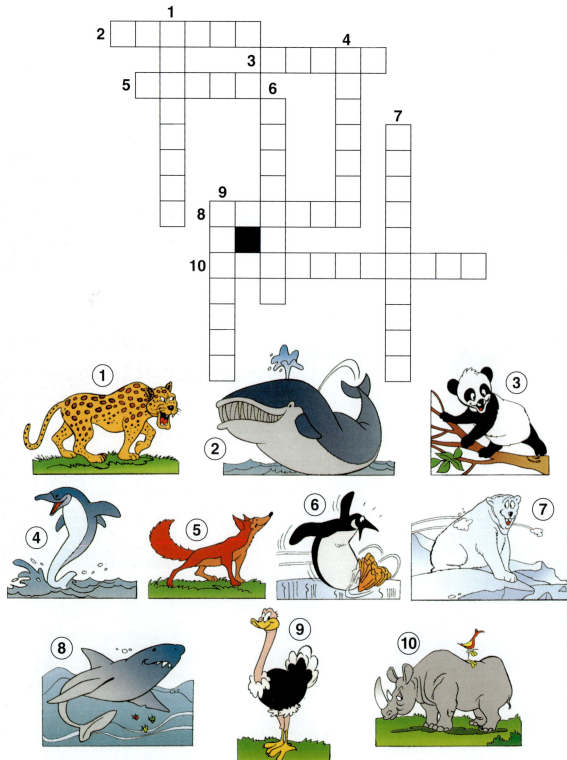

P	A	N	D	A	T	L	E	S	E	O	C
E	Z	E	H	S	C	E	S	T	H	R	U
O	V	O	L	P	E	O	H	R	G	S	E
E	B	I	U	P	A	P	G	U	I	O	V
B	A	L	E	N	A	A	R	Z	L	P	N
R	V	A	S	D	R	R	A	Z	I	O	C
S	Q	U	A	L	O	D	O	O	U	L	Z
K	L	Q	B	E	Z	O	F	C	N	A	N
M	A	O	D	L	U	A	Y	V	F	R	O
P	I	N	G	U	I	N	O	E	U	E	E
I	F	I	F	N	O	P	E	H	I	O	H
R	I	N	O	C	E	R	O	N	T	E	O
E	F	U	G	H	T	J	A	N	D	O	S
D	E	L	F	I	N	O	Z	H	Q	L	Z

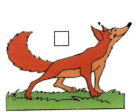

GLI STRUMENTI MUSICALI

il pianoforte

la chitarra

la batteria

il violino

il flauto

l'organo

la tromba

il clarinetto

la fisarmonica

il contrabbasso

ABBINA

la chitarra

il pianoforte

il clarinetto

l'organo

la fisarmonica

la tromba

il flauto

la batteria

il contrabbasso

il violino

INCROCIA

CERCA

P	F	C	H	I	T	A	R	R	A	C	U
I	I	B	L	F	U	G	H	L	N	A	F
A	S	A	O	V	I	O	L	I	N	O	L
N	A	T	Z	D	I	U	N	E	R	K	A
O	R	T	G	F	O	E	L	O	S	Q	U
F	M	E	U	T	R	R	Z	G	O	R	T
O	O	R	R	R	G	I	U	T	E	D	O
R	N	I	V	O	A	T	R	O	M	A	C
T	I	A	B	M	N	N	F	Z	E	O	Q
E	C	F	C	B	O	I	E	C	A	N	R
F	A	U	J	A	G	H	R	Z	I	G	D
C	L	A	R	I	N	E	T	T	O	G	H
S	V	I	A	Y	R	C	H	L	Z	E	O
C	O	N	T	R	A	B	B	A	S	S	O

GLI EDIFICI PUBBLICI

la scuola

l'ufficio postale

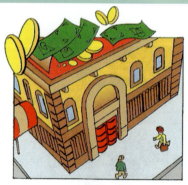

la banca

il ristorante

il supermercato

il negozio

il cinema

il museo

l'ospedale

l'albergo

ABBINA

l'ospedale

la scuola

l'albergo

il museo

il ristorante

la banca

l'ufficio postale

il supermercato

il cinema

il negozio

INCROCIA

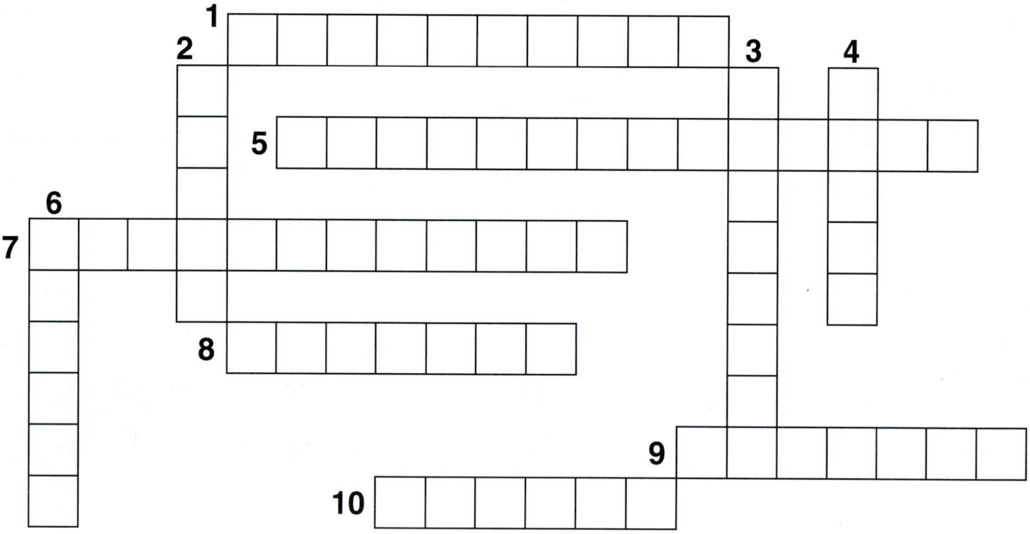

1
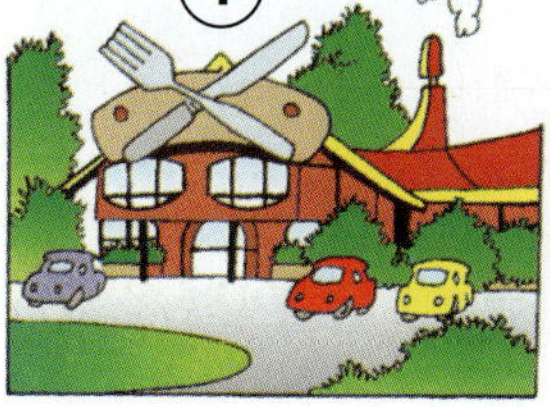

2
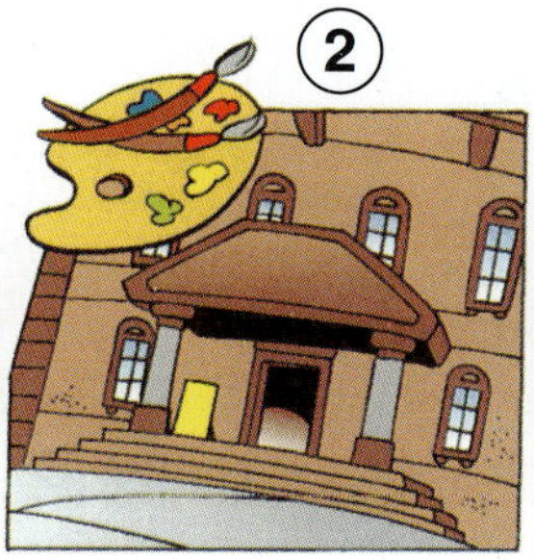

3
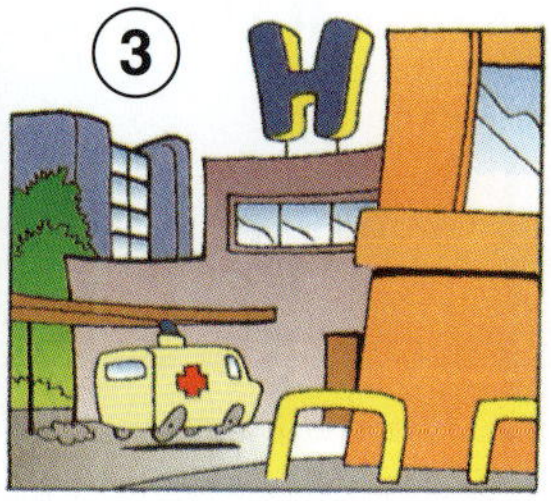

4
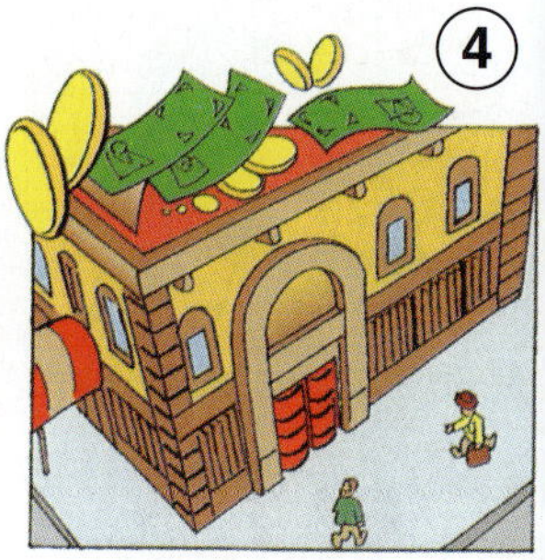

5
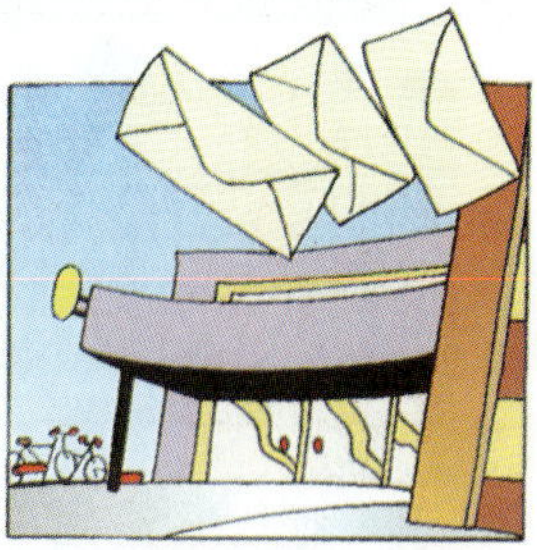

6
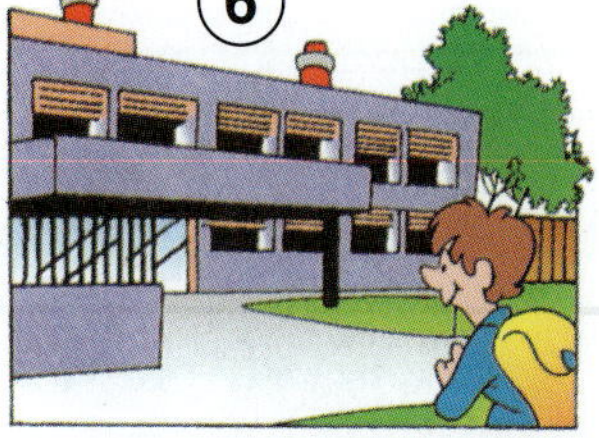

7
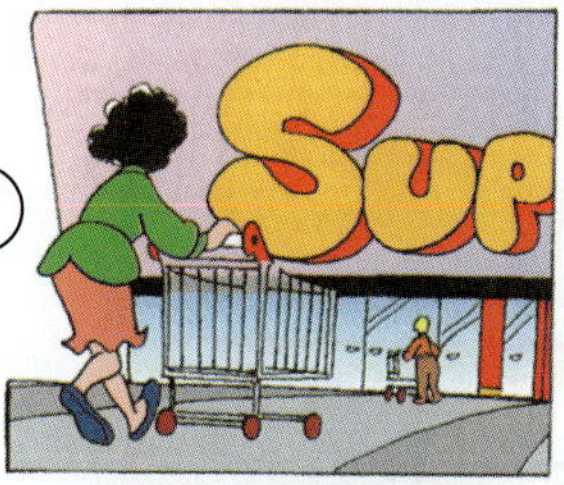

8
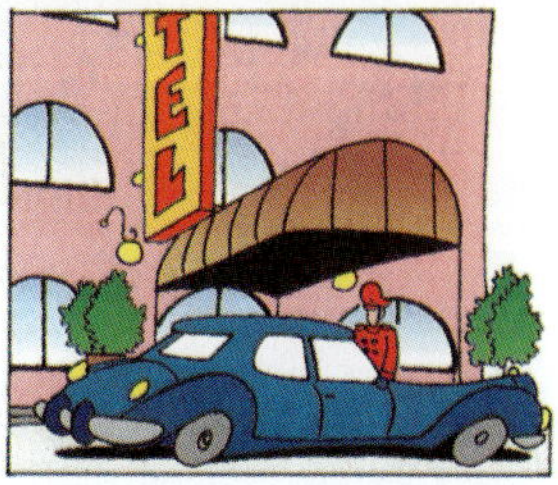

9
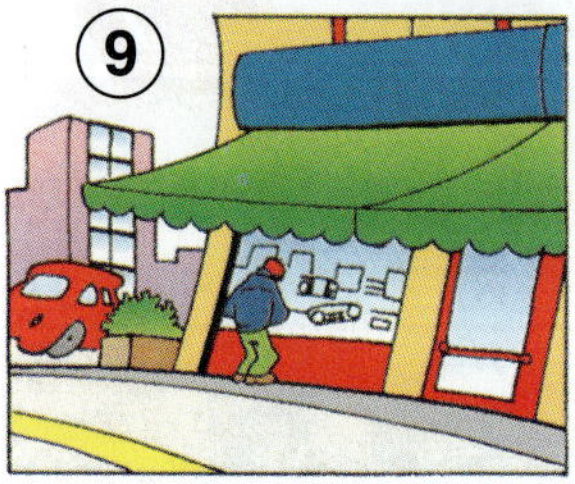

10
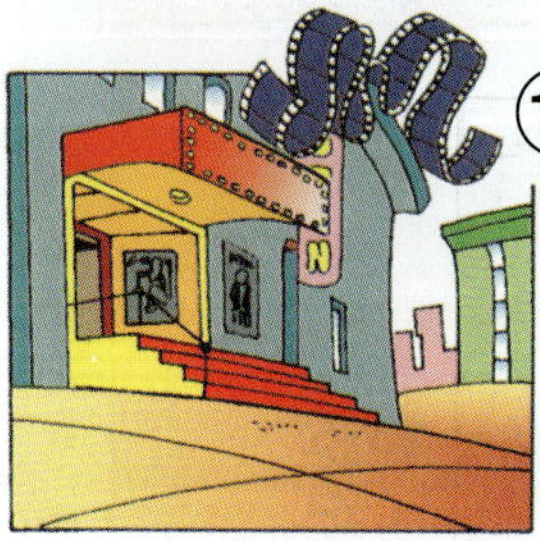

 ☐

 ☐

 ☐

 ☐

 ☐

S	C	U	O	L	A	R	S	D	N	E	U
C	G	H	E	J	I	R	U	G	R	N	F
E	B	A	N	C	A	B	P	N	I	P	F
D	L	U	S	Z	I	B	E	J	S	U	I
N	E	G	O	Z	I	O	R	N	T	C	C
D	G	T	M	S	E	Y	M	M	O	M	I
C	I	N	E	M	A	O	E	L	R	P	O
E	D	U	Y	M	C	S	R	L	A	R	P
M	U	S	E	O	E	P	C	O	N	O	O
O	I	R	U	F	E	E	A	P	T	I	S
Z	E	I	P	G	H	D	T	T	E	E	T
B	R	U	O	N	T	A	O	A	S	N	A
S	D	E	V	C	N	L	I	F	T	N	L
S	T	I	A	L	B	E	R	G	O	C	E

 ☐

 ☐

 ☐

 ☐

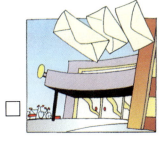 ☐

I MESTIERI E LE PROFESSIONI

l'insegnante

la portalettere

il poliziotto

il medico

l'agricoltore

il vigile del fuoco

la fotografa

la veterinaria

il cuoco

il pilota

ABBINA

il vigile del fuoco

il poliziotto

la portalettere

il cuoco

l'insegnante

la fotografa

il pilota

l'agricoltore

la veterinaria

il medico

INCROCIA

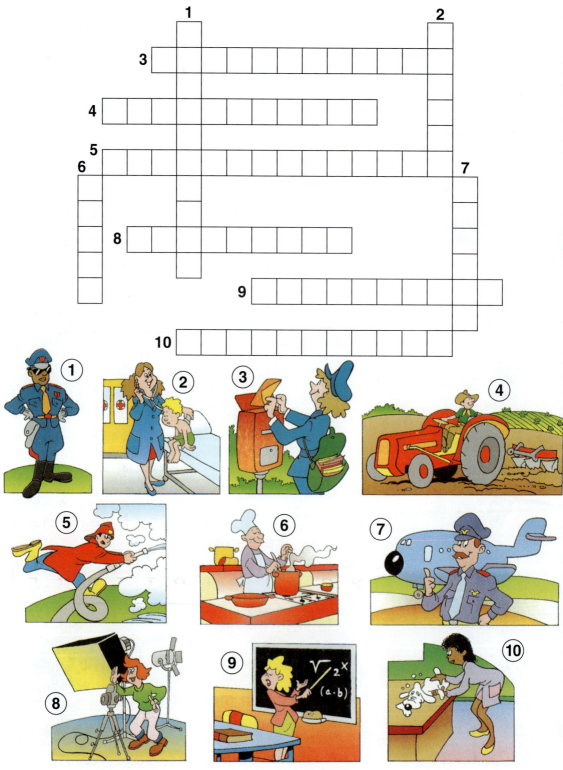

CERCA

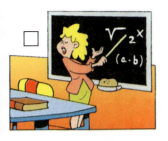

I	V	F	A	O	S	N	U	V	A	P	P
N	I	U	M	E	D	I	C	O	G	V	O
S	G	F	H	E	I	P	L	M	R	E	R
E	I	O	S	R	E	C	R	B	I	T	T
G	L	T	Z	C	U	O	C	O	C	E	A
N	E	O	L	O	T	A	R	T	O	R	L
A	D	G	R	Q	P	I	Q	R	L	I	E
N	E	R	T	N	I	E	F	O	T	N	T
T	L	A	I	L	L	I	I	Z	O	A	T
E	F	F	N	T	O	D	N	H	R	R	E
R	U	A	B	A	T	E	R	E	E	I	R
K	O	H	C	U	A	G	U	C	P	A	E
I	C	B	E	K	O	C	H	E	L	J	D
P	O	L	I	Z	I	O	T	T	O	M	F

AL MARE

la spiaggia

il mare

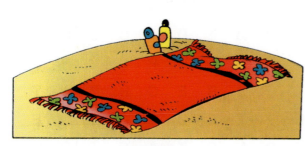

il telo

il costume da bagno

gli occhiali da sole

il cappello

il gabbiano

la barca

il pesce

ABBINA

il pesce

gli occhiali da sole

il telo

la barca

il gabbiano

il costume da bagno

la spiaggia

il cappello

il mare

INCROCIA

CERCA

O	D	P	B	M	A	R	E	H	M	N	C
C	D	Q	D	A	I	R	S	Z	D	N	O
C	I	T	T	P	E	S	C	E	I	L	S
H	B	E	T	D	H	U	P	O	D	M	T
I	E	L	S	P	I	A	G	G	I	A	U
A	U	O	V	I	U	E	C	E	C	F	M
L	S	H	R	B	A	R	C	A	A	G	E
I	H	M	H	F	N	F	F	O	P	G	D
D	R	I	I	L	L	O	H	S	P	I	A
A	Z	N	K	Q	K	H	N	A	E	Z	B
S	T	P	N	A	U	T	O	I	L	L	A
O	K	S	L	U	O	U	W	E	L	U	G
L	L	L	E	A	K	C	J	H	O	M	N
E	G	A	B	B	I	A	N	O	S	T	O

IN MONTAGNA

lo sciatore

la neve

la sciarpa

gli scarponi

la giacca a vento

il berretto

lo zaino

gli sci

il pupazzo di neve

gli sci

lo sciatore

la giacca a vento

la neve

il pupazzo di neve

il berretto

gli scarponi

la sciarpa

lo zaino

INCROCIA

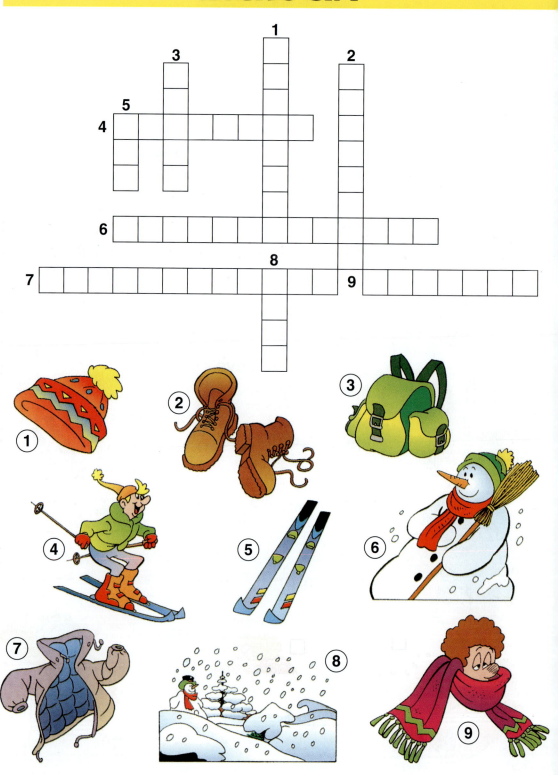

CERCA

S	C	I	A	T	O	R	E	S	B	V	P
C	Y	C	H	A	L	D	F	D	E	Q	U
G	D	N	E	V	E	A	T	R	R	T	P
I	A	O	S	Y	I	B	U	Y	R	G	A
A	T	S	C	S	C	I	E	A	E	E	Z
C	R	C	H	T	B	R	S	S	T	I	Z
C	S	A	H	K	I	K	C	T	T	H	O
A	P	R	A	N	M	K	I	F	O	O	D
A	H	P	Q	U	L	A	A	A	R	H	I
V	I	O	C	Z	O	O	R	C	P	G	N
E	Q	N	E	T	Z	J	P	Z	A	A	E
N	U	I	H	T	D	L	A	I	M	E	V
T	C	H	Z	A	I	N	O	Q	N	P	E
O	G	D	H	I	C	L	M	O	U	N	I

GLI SPORT

il calcio

il tennis

la corsa

la pallavolo

la pallacanestro

lo sci

il nuoto

la ginnastica

il ciclismo

il pattinaggio

ABBINA

la pallavolo

la corsa

il calcio

la ginnastica

il nuoto

il tennis

il ciclismo

il pattinaggio

lo sci

la pallacanestro

INCROCIA

P	M	C	D	S	C	I	N	C	G	T	P
A	A	I	E	A	Y	V	I	P	I	P	A
T	L	C	N	U	O	T	O	O	N	O	L
T	P	L	D	V	O	G	J	L	N	A	L
I	T	I	I	T	A	C	E	I	A	V	A
N	R	S	R	E	D	A	R	Y	S	E	C
A	S	M	A	N	O	L	U	S	T	Y	A
G	L	O	P	N	N	C	O	E	I	R	N
G	E	F	H	I	I	I	E	L	C	A	E
I	U	I	L	S	N	O	E	C	A	I	S
O	U	U	G	M	H	V	L	H	S	L	T
S	E	C	O	R	S	A	T	N	I	R	R
K	S	N	E	F	A	I	U	G	M	B	O
P	A	L	L	A	V	O	L	O	J	I	E

DOV'È IL CONIGLIO?

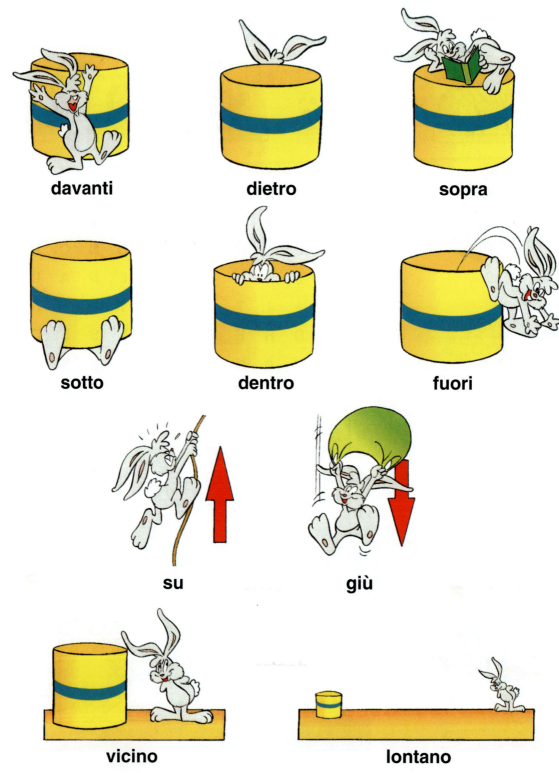

davanti

dietro

sopra

sotto

dentro

fuori

su

giù

vicino

lontano

ABBINA

vicino

lontano

davanti

dietro

giù

su

fuori

sopra

sotto

dentro

INCROCIA

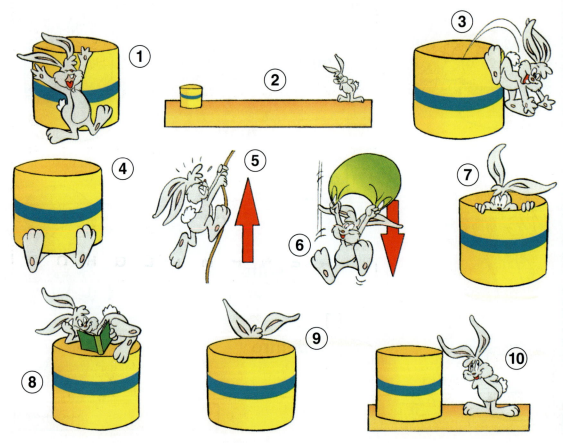

CERCA

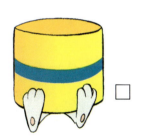

D	C	D	I	E	T	R	O	L	S	G	P
A	E	C	U	D	S	R	O	P	O	R	I
V	E	A	S	O	T	T	O	E	P	Q	H
A	R	O	A	V	S	T	H	D	R	A	V
N	Z	D	Q	L	T	M	S	G	A	A	I
T	N	E	R	P	F	U	O	R	I	S	C
I	Y	N	Z	N	N	I	T	E	Q	S	I
D	R	T	U	S	S	U	N	H	A	Q	N
F	G	R	N	A	V	D	G	I	U	U	O
I	H	O	R	O	U	A	H	G	H	L	R
E	D	I	U	F	D	Z	A	S	Y	N	Z
U	I	I	L	O	N	T	A	N	O	F	Y
O	D	T	A	L	S	L	R	I	T	I	O
P	A	E	N	P	M	I	L	G	H	O	D

LE AZIONI

aprire

chiudere

comprare

camminare

parlare

suonare

ascoltare

cantare

ballare

saltare

ABBINA

ascoltare

comprare

aprire

ballare

suonare

chiudere

saltare

parlare

cantare

camminare

INCROCIA

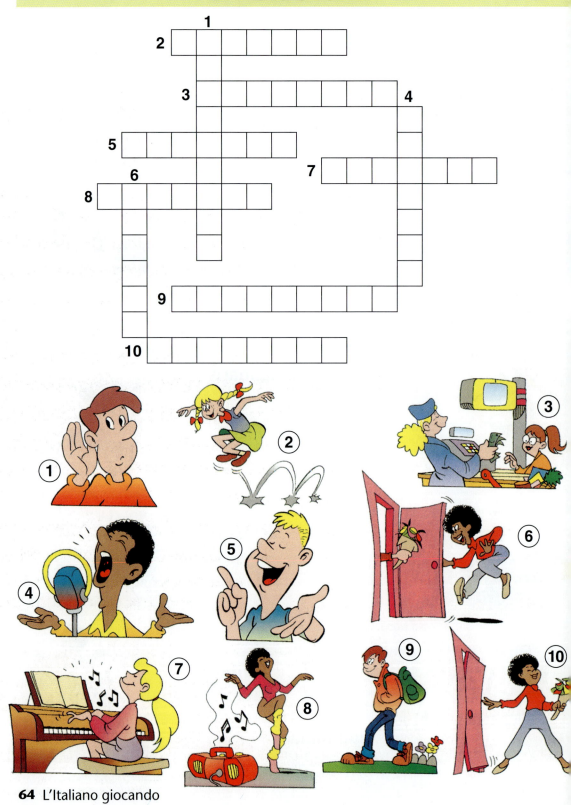

CERCA

A	T	S	A	L	T	A	R	E	L	Z	S
S	S	D	C	A	L	A	U	N	M	N	C
C	U	C	O	M	P	R	A	R	E	F	A
O	R	V	L	N	I	E	K	E	A	S	N
L	A	P	I	A	P	R	I	R	E	R	T
T	O	A	U	L	O	R	V	S	L	Z	A
A	P	R	S	S	U	O	N	A	R	E	R
R	I	L	V	C	L	A	U	C	E	D	E
E	L	A	B	A	L	L	A	R	E	U	Z
B	C	R	N	I	E	E	G	J	A	P	E
I	M	E	T	N	F	I	A	G	N	O	U
C	A	C	A	M	M	I	N	A	R	E	D
D	V	U	E	C	N	M	I	A	V	Z	Y
C	H	I	U	D	E	R	E	N	E	O	R

GLI AGGETTIVI

destra   **sinistra**

corto   **lungo**   **facile**   **difficile**

sporco   **pulito**

nuova   **vecchia**

ABBINA

facile

sporco

destra

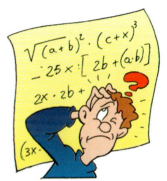

pulito

nuova

vecchia

sinistra

corto

difficile

lungo

INCROCIA

CERCA

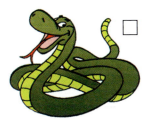

F	A	C	I	L	E	N	I	S	N	L	A
D	V	E	L	I	N	K	S	P	D	A	F
T	D	G	M	U	H	O	L	O	R	O	N
A	I	P	U	L	I	T	O	R	S	V	S
I	F	M	O	P	U	A	J	C	R	E	C
N	F	F	A	I	L	F	E	O	A	C	H
C	I	R	K	A	V	N	R	I	E	C	W
O	C	I	N	U	O	V	A	N	B	H	E
R	I	H	C	U	N	Z	U	G	F	I	R
T	L	I	L	U	N	G	O	L	P	A	C
O	E	G	E	T	N	C	I	J	T	P	I
B	H	S	D	E	S	T	R	A	O	M	L
V	Y	A	S	R	E	T	U	N	R	D	A
A	H	S	I	N	I	S	T	R	A	J	N

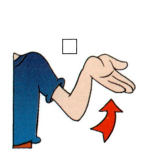

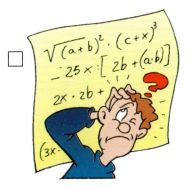